我的魔法咒语

据［法］克利斯提昂·约里波瓦同名绘本动画片改编

郑迪蔚／编译

二十一世纪出版社
21st Century Publishing House
全国百佳出版社

下蛋，下蛋，总是下蛋！

生活中肯定有比下蛋更好玩的事情！

我遇见了真正的魔法师……

4

大清早，小凯丽兴冲冲地走到卡梅利多身边，双手背在身后，眨着两只大眼睛，神秘地说："我有个礼物送给你！"

卡梅利多愣了一下："礼物？"

小凯丽拿出一个精心编制的橄榄球递给卡梅利多。

"哇！橄榄球！太酷了！谢谢你，小凯丽！"

卡梅利多早就想拥有一个橄榄球，没想到被小凯丽看穿了心思，一时间竟有些不好意思。

　　小凯丽送给卡梅利多礼物，被小胖墩和大嗓门看在眼里，这让他们很生气。

　　小胖墩也想有个自己的橄榄球，便趁卡梅利多低头把玩橄榄球的时候，和大嗓门相互使了个眼色，冲着卡梅利多撞了过来，一把夺走了橄榄球。

　　"哈哈！抢到了！"大嗓门一阵坏笑，抱着球就跑。

不料，被斜穿过来的卡门夺了过去。

"我抢回来了！接球，卡梅利多！"

"这是小凯丽送给我的球，你们谁也别想碰！"

卡梅利多接过球，奋起一脚，一个精彩的远射，只见橄榄球在天空中画了一道优雅的弧线朝森林里飞去……

砰！

"瞧你干的好事，这回好了，我们永远也甭想碰到了！"
大嗓门愤愤地边说边拉着小胖墩朝鸡舍走去。

"走吧，胖墩，别跟这些满脑子糨糊的家伙搅和在一块！"

卡梅利多没想到自己这一脚的威力如此巨大，沮丧地
喃喃自语："我的礼物……"

小凯丽眼看着精心编制的橄榄球一下子不见了，委屈地冲着卡梅利多说："你的礼物……怎么办呀？"

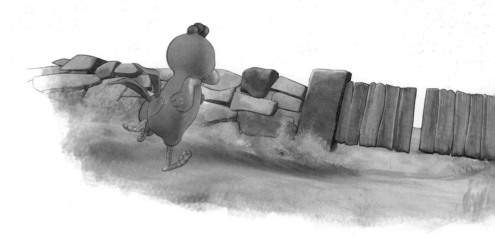

"你可以和你的礼物说永别了，它已经消失在东面的黑暗森林里了！"卡门也觉得很可惜，却又很无奈。

"管他的，是我的错！我不能把新礼物丢在那里！"卡梅利多说完就朝黑暗森林跑去。

贝里奥一听到黑暗森林就感到毛骨悚然，哆哆嗦嗦地补充道："那里是不允许进入的！"

黑暗森林是一片繁茂的大森林，四下皆是参天大榕树，枝叶繁茂，虽然是大白天，森林里却很阴暗，只有稀疏的阳光透过茂盛枝叶的间隙洒落下来，静悄悄的……

　　卡梅利多盲目地走进森林之后，心里有些后悔，他紧张地朝四下张望："你听？卡门，唰唰的是什么声音……"

　　"放心，什么也没有，那是风把树叶吹得沙沙作响！"

"说不定不是树叶在沙沙作响，而是……你们真的确定要进去吗？要知道这可是禁区，不能进入的森林！"贝里奥吓得直哆嗦。

"和其他的森林没什么两样，所有你过去听到的故事，都是传说！"卡门笑着安慰贝里奥。

"啊？传说？哪个传说？"

卡梅利多这会儿来了精神："巨型蜘蛛的故事……还有无头骑士……"他边说边比画，"最可怕的是吃小孩的树……"

　　"卡门，等等我，别走那么快。"

　　贝里奥的神经已经紧张到了极点，突然脚下被绊了个大马趴。

　　"救命呀，我听到树枝折断的声音，是吃小孩的树把我抓住了！"

　　卡门过来扶贝里奥时，对绊倒贝里奥的树根产生了兴趣，"这看起来似乎是根普通的树根，但它绝对不是根普通的树根……"

他们决定把这个突然从地面冒出来的"树根"拔出来看个究竟。

　　"啪！"他们拔出来一顶帽子……

　　"啊！这是无头骑士的帽子！"贝里奥联想起刚才卡梅利多讲到的无头骑士，心里一阵发慌。

　　"如果骑士没有脑袋，你觉得他是怎么戴上帽子的？"

　　"对啊，可能是……他的脖子怕冷……"

　　贝里奥被这个命题难住了，结结巴巴怎么也说不明白。

森林深处传来卡梅利多的呼救声。

贝里奥吓得撒腿就往回跑。魔法帽子喷出一股黑烟紧紧跟随在后面。

卡门顾不上和贝里奥研究帽子，赶紧去救卡梅利多。

这顶紫色的尖顶帽子忽然飞了起来，露出一张邪恶的面孔，狞笑着朝贝里奥扑来。

嘿嘿！

"卡梅利多你在哪儿？"

"在这呢！"被吊在树上的卡梅利多向卡门喊道，"刚才我不小心踩到一个玩意儿，砰的一下，就屁股朝上吊在了空中！"

"这样能使你的肌肉比大脑发达！等等，我把你放下来。"卡门走上前正准备救哥哥，突然脚下踩到一个圈套，也被吊到了树上。

　　"恭喜啊，现在咱俩都倒挂在这儿了，我们只能指望贝里奥了！"

　　说话间，贝里奥飞也似的狂奔进农场。

　　"救命呀！"

　　"嘿，你这是怎么啦，贝里奥？你看到无头鸡了吗？"

　　"比这还倒霉，爷爷！是无头帽子！"

　　贝里奥一头钻进了鸬鹚佩罗的木桶，再也不肯出来。

　　"什么？无头帽子！"鸬鹚佩罗摸不着头脑。

　　"它一直跟着我，还不停地喷着黑烟！笑得好恐怖！"

　　公鸡爷爷似乎明白了什么，追问道："告诉我，贝里奥，你是在哪儿看见这顶帽子的？是不是在东边那片森林里？那是禁区啊，谁都不许进入的……"

公鸡爷爷还没说完，魔法帽已经飞进农场了，发出一阵阵恐怖的狂笑。

　　"一级警报！一级警报！大家都赶紧回窝里去！"公鸡
爷爷招呼大家。

　　皮迪克惊异地看到一顶冒着黑烟的帽子朝鸡舍飞来，
吓得赶紧从草垛上跑回窝。

鸡舍里，大家都躲在各自的窝里吓得浑身发抖。

公鸡爷爷继续询问贝里奥："我拿脑袋担保，这就是黑暗森林里传说的那顶帽子！它以前的主人是个非常可怕的巫师，疯了之后，帽子就消失在森林里了。这座黑暗森林，进去了就回不来！你怎么会去那里？"

贝里奥低着头不敢把卡梅利多的秘密说出来。

魔法帽撞不开鸡舍大门，徘徊了一阵之后，喷着黑烟飞
上了屋顶……

"卡门和卡梅利多呢？他们没和你在一起？"皮迪克关切地问。贝里奥还没来得及回答，就看到屋顶上被魔法帽钻出一个大洞……

　　魔法帽飞进来在鸡舍里一通扫荡，凡是它经过的地方，鸡蛋就像遇到不可抗拒的引力，都自动飞向魔法帽……

　　公鸡爷爷没想到魔法帽的法力如此强大，立刻招呼大家向室外逃去。

"我的鸡蛋没有啦！"

"别管鸡蛋，赶快逃命要紧！"大伙纷纷夺门而出，各自寻找安全的藏身之处。有的躲进水槽里，有的趴在树上，有的藏进草垛里……卡梅拉一家躲在鸬鹚佩罗的木桶后面。

"魔法帽会把我的鸡蛋吃了吗？"卡梅拉吓得直发抖。

魔法帽裹挟着鸡蛋飞到了草垛上，一边发出恐怖的笑声，一边把鸡蛋耍着玩，似乎一点都不着急去找小鸡们的麻烦。

贝里奥躲在水槽后面，心里后悔极了，要不是自己好奇非要把"树根"拔出来，也不会弄出个魔法帽，更不会有眼前的灾难，魔法帽如果玩腻了鸡蛋，会不会把自己吃了呀？贝里奥越想越害怕……

忽然，魔法帽一翻身，把所有鸡蛋都吞了。

"我们的鸡蛋！它把所有的鸡蛋都吃了……"
卡梅拉急得昏了过去。

"这下全完了！只有一个人能救我们，一个真正的魔法师才能降伏这东西……"

公鸡爷爷感到大难临头，十分着急。

卡梅利多和卡门全然不知鸡舍里发生的事情。

"贝里奥到底去哪儿了？我们要在这儿吊到什么时候？我可不想成风干鸡。"卡梅利多无奈地说。

"嘿，你们两个小家伙，怎么掉到我捉兔子的陷阱里了？"树下来了个拿着小木棍的男孩。

"我们也不想被当成兔子！谁让我们不小心踩到了你的机关呢……能不能请你把我们放下来？"

男孩嘴里念念有词："佐—嗦—布—噜—佐！"

说话间他顺势用小木棍指向绳子……

"咦，怎么不起作用？"

"我的天哪，你是魔法师?！我听过一句故事书里的咒语，是这么念的：咕咕嘿卡—塔巴哈！"

男孩试着念了卡门的咒语："咕咕嘿卡—塔巴哈！"

魔法咒语显灵了，一道强光从魔法棒上射出，吊着卡门的绳子应声而断。

"哇,太棒了,简直难以置信!第一次显灵了……谢谢你的魔法咒语!"男孩感激地对卡门说。

卡门起身拍拍身上的土:"哦,我的本事还多着呢……"

"很高兴认识你,我叫梅林。"

"魔法师梅林,你还缺少一顶帽子,正好,找到贝里奥就有了……"

卡门正要继续讲述和贝里奥的奇遇,却被还吊在树上的卡梅利多打断了:"不介意的话,打扰一下两位,如果能抽点空帮个忙,也别老让我这么吊着呀。"

梅林笑着挥动魔法棒念着咒语,将他放下来。

卡门带着大家来到发现魔法帽的地方，却已不见贝里
奥的踪影，连魔法帽也消失了。

"贝里奥不见了！帽子也
不见了！"

当梅林看到地上留了一个大黑坑，面色凝重。

"你们看到这块黑色的标记了
吗？这说明黑暗巫师的魔法帽重现
江湖了！一场灾难将不可避免！这
是一顶邪恶疯狂的帽子！它非常危
险……除非被有更高法力的魔法师
降伏！我们必须赶快找到它！否则后
果不堪设想。"

　　此时的鸡舍格外安静，魔法帽饱餐了鸡蛋后，正满足地在草垛上呼呼大睡。

　　皮迪克、公鸡爷爷和鸬鹚佩罗准备悄悄从三个方向包围草垛，生擒魔法帽。

　　行动还没开始，就被从石柱后面蹿出来的小胖墩和大嗓门打乱了，他们捡起石头朝魔法帽扔去。

　　魔法帽一下子被击醒了。

　　它愤怒地从草垛上飞下来，直奔小胖墩和大嗓门，对着他们喷了一大股黑烟。

　　黑烟消失之后，小胖墩和大嗓门的身上被画满了彩色的圆点。

　　魔法帽很满意自己的恶作剧，又转身朝卡梅拉藏身的木桶飞来，卡梅拉吓得大叫一声，撒腿就跑。

魔法帽一阵坏笑，朝卡梅拉喷了一股黑烟。

卡梅拉被施了魔法，定在空中不能动弹。

"救我，皮迪克！"

"亲爱的，你这是怎么啦？

别着急，有我呢！"

皮迪克着急地拽住卡梅拉的脚，

以免她越升越高。

魔法帽开心地坏笑起来，从高空飞到了地面……

突然，公鸡爷爷和佩罗趁它不注意猛扑上去，将它擒住，五花大绑捆了起来。

"逮住了！看你还怎么折腾！"

皮迪克安慰着被定在空中的卡梅拉："不用担心，他们已经捉住了魔法帽，很快你就能下来了。"

　　魔法帽挣扎了几下没有弄断绳子，它低沉地狞笑了几声，啪！绳子断了！

　　"糟糕，这次咱们可把它惹火了，估计不会像刚才那样客气了。赶快逃跑！"公鸡爷爷警告大家。

　　魔法帽一转眼飞到了高空，喷着黑烟随时准备对鸡舍进行新一轮攻击。

啊！

就在小鸡们惊慌失措，四下逃跑的时候，卡门和卡梅利多带着魔法师梅林赶到了。

"舍瓦嘿咔—洛塔塔！"
梅林挥动魔法棒向魔法帽大喊。

魔法帽也不甘示弱，聚集了大量的能量，形成一个巨大的火球，要向梅林射过来。

舍瓦嘿咔——洛塔塔！咕咕嘿卡——塔巴哈！

"它的法力太强大了！我的力量恐怕不够。"

"你试着念一下我说的那句魔法咒语！"卡门在一旁出

主意。

魔法咒语奏效了，只见一道强光从魔法棒中射出。

　　砰！天空中迸出一片火花，十分壮观。随后，魔法帽乖乖地落到梅林头上。

　　"太好了！梅林，你是一个伟大的魔法师！"

　　"没什么，卡门，多亏你帮忙！但我现在要走了，这顶帽子的魔力还没完全消失，需要继续训练。"

　　"咕咕嘿卡—塔巴哈！"梅林念完咒语，就化作一束光消失在天边了。

"所有的鸡蛋都回来了！"母鸡们高兴地喊道。

"糟糕！我的橄榄球还在森林里呢！"

公鸡爷爷非常严厉地警告："不许再进黑暗森林！"

"我知道错了，爷爷，但那是我的礼物……"

"魔法帽又回来啦！"大嗓门的喊叫打断了卡梅利多。大伙以为灾难又要降临，纷纷找地方躲藏。

魔法帽朝卡梅利多飞过来，"啪"！一个橄榄球被扔进了卡梅利多的怀里。

"哇！我的球，谢谢梅林！"

43

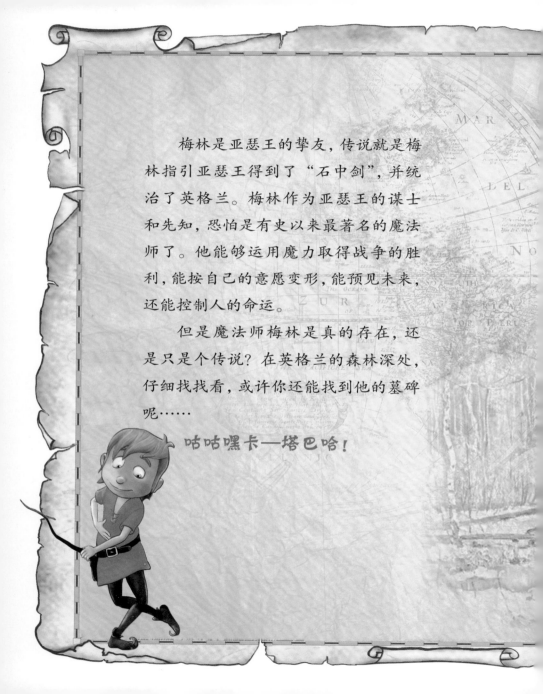

　　梅林是亚瑟王的挚友，传说就是梅林指引亚瑟王得到了"石中剑"，并统治了英格兰。梅林作为亚瑟王的谋士和先知，恐怕是有史以来最著名的魔法师了。他能够运用魔力取得战争的胜利，能按自己的意愿变形，能预见未来，还能控制人的命运。

　　但是魔法师梅林是真的存在，还是只是个传说？在英格兰的森林深处，仔细找找看，或许你还能找到他的墓碑呢……

咕咕嘿卡—塔巴哈！

不一样的卡梅拉动漫绘本

据 [法] 克利斯提昂·约里波瓦同名绘本动画片改编

共 32 册

穿越历史 解读经典 活语幽默

下蛋，下蛋，总是下蛋！
生活中肯定有比下蛋更好玩的事情！
这次我们要到远方去探险……
莫扎特、小红帽、马可波罗、堂吉诃德、
达·芬奇、富兰克林这些历史上的名人都会
出现在我们的生活里……

不一样的卡梅拉
3D 动画片（六盒装 DVD）

D'après la collection de livres de Ch. Heinrich et Ch. Jolibois © Pocket Jeunesse. D'après la série animée
réalisée par JL François – bible littéraire M. Locatelli & P. Regnard © Blue Spirit Animation / Be Films
Titre de l'épisode « Cocoricadabra » écrit par M. Locatelli / P. Regnard
Les P'tites Poules © Blue Spirit Animation

Chinese simplified translation rights arranged with Chengdu ZhongRen Culture Communication Co.,Ltd,
本书中文版权通过成都中仁天地文化传播有限公司帮助获得

据 [法] 克利斯提昂·约里波瓦同名绘本动画片改编

图书在版编目（CIP）数据

我的魔法咒语 / (法) 约里波瓦文；
(法) 艾利施绘；郑迪蔚编译.
-- 南昌：二十一世纪出版社，2012.11
（不一样的卡梅拉动漫绘本；3）
ISBN 978-7-5391-8240-7

Ⅰ.①我… Ⅱ.①约… ②艾… ③郑……
Ⅲ.①动画—连环画—作品—法国—现代
Ⅳ.①J238.7

中国版本图书馆CIP数据核字(2012)第266441号

版权合同登记号 14-2012-443
赣版权登字—04—2012—765

我的魔法咒语　郑迪蔚 / 编译

策　　划	奥苗文化　郑迪蔚
责任编辑	黄　震　陈静瑶
制　　作	敖　翔　黄　瑾
出版发行	二十一世纪出版社
	www.21cccc.com　cc21@163.net
出版人	张秋林
印　　刷	广州一丰印刷有限公司
版　　次	2012年12月第1版　2014年10月第12次印刷
开　　本	800mm×1250mm　1/32
印　　张	1.5
书　　号	ISBN 978-7-5391-8240-7
定　　价	10.00元

本社地址：江西省南昌市子安路75号　330009（如发现印装质量问题，请寄本社图书发行公司调换 0791-86512056）